PASCAL JOUSSELIN

IMBATTABLE

3. Le cauchemar des malfrats

Couleurs :
Laurence Croix

DUPUIS

À Marie.

Pour l'épisode *L'autre Dimension* :
Un grand merci à Régis.
Ainsi qu'à Mathilde, Anne, Soizic, Renan, Erica, Victor, Olivier, Hervé, Emmanuel,
à l'équipe de Quai des Bulles, au pôle culturel La Grande Passerelle,
à l'OPH Émeraude Habitation et à la ville de Saint-Malo.

DU MÊME AUTEUR

Les aventures de Michel Swing
(avec Brüno, Treize Étrange/Glénat)

Somewhere Else
(Treize Étrange/Glénat)

Colt Bingers l'insoumis
(dessin de Lionel Chouin, Fluide Glacial)

L'Atelier Mastodonte
(tomes 3 à 6, collectif, Dupuis)

Chihuahua
(avec Nob, Obion et Trondheim, BD Kids)

Dépôt légal : avril 2021 — D.2021/0089/201
ISBN 979-1-0347-4634-7

Éditions Dupuis s.a., Rue Destrée 52, 6001 Marcinelle, Belgique.
Imprimé par Delabie-Lesaffre, ZI La Martinoire, Bld. de l'Eurozone 9, 7700 Mouscron, Belgique.
Achevé d'imprimer en mars 2021.

www.dupuis.com

SOIRÉE CRÊPES CHEZ

JOUSSELIN — COUL : CROIX.

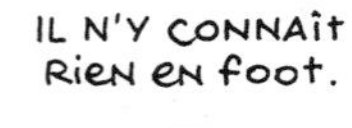
IL N'Y CONNAÎT RIEN EN FOOT.

IMBATTABLE
LE SEUL VÉRITABLE SUPER-HÉROS DE BANDE DESSINÉE

UN MATCH DU MONDIAL ! HOLÀLÀ, TONTON, QUEL CADEAU GÉNIAL ! MERCI ! MERCI ! MERCI !
JE T'EN PRIE, MON GRAND.

EH BIEN, JE SUIS IMPRESSIONNÉ ! TOUS CES GENS PARTAGEANT LA MÊME PASSION RÉUNIS POUR FAIRE LA FÊTE ENSEMBLE...
AH ! ÇA, C'EST LE SUPER-POUVOIR DU FOOT, TONTON ! HI HI HI !
ALLEZ FRANCE

BAH ALORS, HELMUT, ON S'EST PERDU ? ON SE CROIT EN CHAMPION'S LEAGUE ? DORTMUND NE VA PAS VENIR, PERSONNE NE T'A DIT ?
?

PARDON, JE CROIS QUE VOUS FAITES ERREUR, MONSIEUR. JE NE SUIS PAS HELMUT...
HOULÀ ! HOULÀ NON !

BUMP

?!

Y A DEUX BALLONS ?! BAH ÇA ALORS, COMMENT... ?
AH ? DEUX BALLONS, C'EST PAS NORMAL ?
OUAIS !
HÉ ! NON, Y A PAS BUT ! Y A PAS BUT !

SI MONSIEUR ! SI MONSIEUR ! Y A BUT !
RÉPÈTE ÇA SI TU L'OSES, LE BRONZÉ...

ALLONS, ALLONS, MES AMIS, CE N'EST QU'UN JEU !
TOI, LE BOUFFEUR DE CHOUCROUTE, ON T'A PAS SONNÉ !
HÉ, BLANCHE-NEIGE.

MAIS, MAIS...

17-1

MERCI À JULIEN.

17-2

Jousselin –
coul : Croix.

JE ME DEMANDE CE QUE NOUS VEUT JEAN-PIERRE, IL SEMBLAIT UN PEU INQUIET AU TÉLÉPHONE...
LE PASSE-TEMPS DE LA FACTRICE
Une aventure d'IMBATTABLE

EN TOUT CAS, IL FAUDRA SURVEILLER TA MONTRE, TOUDI. À QUELLE HEURE REPRENNENT TES COURS ?

AH, IMBATTABLE ! MERCI D'ÊTRE VENU AUSSI RAPIDEMENT ! LES ESPRITS COMMENCENT À SÉRIEUSEMENT S'ÉCHAUFFER, ICI...

BONJOUR À TOUS.
ALORS, QUE SE PASSE-T-IL ?

Y A UN PROBLÈME AVEC LA NOUVELLE FACTRICE...
OUAIS !

POURQUOI ? ELLE FAIT MAL SON TRAVAIL ?
EUH... NON... ON NE PEUT PAS DIRE ÇA.
EN EFFET, JE N'AI JAMAIS REÇU MON COURRIER AUSSI TÔT.

MAIS IL FAUT QU'ELLE QUITTE LA VILLE !
OUAIS !

ELLE N'EST PAS NORMALE, CETTE BONNE FEMME...
ET NOUS, ON NE VEUT PAS DE PAS-NORMAUX CHEZ NOUS !

"PAS NORMALE" ?! QU'EST-CE QUE ÇA VEUT DIRE ?
BEN JUSTEMENT, C'EST DIFFICILE À EXPLIQUER PARCE QU'ON N'Y COMPREND RIEN...

DES FOIS, ELLE... ELLE A DES CLONES.
ET D'AUTRES FOIS, ELLE EST TOUTE SEULE MAIS ELLE CLIGNOTE !
?!

Qu'est-ce que c'est que cette histoire?
Il faut faire quelque chose, Imbattable. Cette factrice, elle est maléfique ou je ne sais pas quoi.

Oui ! Cet été, je n'ai pas eu de tomates dans mon potager, c'est sûr, c'est à cause d'elle !
Mais ?!... Elle n'est ici que depuis 3 semaines !

Ouais, ben qu'elle retourne d'où elle vient, elle et ses trucs incompréhensibles !

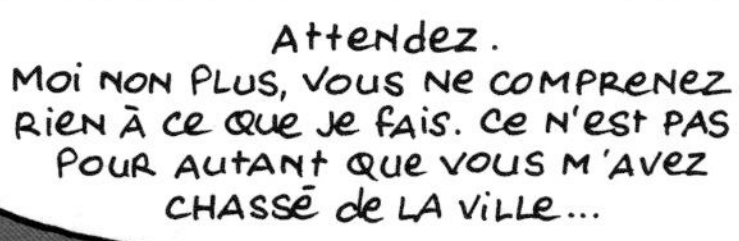
Attendez. Moi non plus, vous ne comprenez rien à ce que je fais. Ce n'est pas pour autant que vous m'avez chassé de la ville...

Euh... c'est pas pareil...
Hum... ben si.
Il a raison.

Je vais discuter avec elle. Que ceux qui le souhaitent me suivent.

Dites, il a quoi, Toudi?
Ah, vous aussi, vous avez remarqué...
Ça fait plusieurs jours qu'il est tout mou et qu'il n'écoute rien, c'est incompréhensible.

Chloé... Chloé... Chloé... Chloé... Chloé... Chloé... Chloé... Chloé...

À cette heure-ci, je crois que le courrier est distribué dans ce quartier.
Oui, là-bas !
Hiiiii, la maléfique !

Euh... je ne vois rien de bizarre...
Elle... elle doit jouer la normale parce que vous êtes là...

?
Clic
Clic
Clic

OOOHH...
Clic

BONJOUR MADAME LUCAS, voici votre COURRIER.
BONNE JOURNÉE, MADAME LUCAS.
HOP. POUR LA FAMILLE CHEVRIER.

Et VOILÀ POUR MONSIEUR CHABOSY.
FASCINANT.
BONJOUR MESDAM... EUH... MADAME.
?!
BONJOUR.

JE M'APPELLE IMBATTABLE. POURRAIS-JE VOUS PARLER UNE MINUTE ?
BIEN SÛR.
ATTENDEZ, JE DÉSACTIVE MA MACHINE, ÇA VA ÊTRE PLUS SIMPLE...

C'EST DONC GRÂCE À CETTE MACHINE QUE VOUS FAITES ÇA ?
Clic
Clic

AAAAH!

TOUT À FAIT. C'EST MA MACHINE QUI PERMET TOUT ÇA.
AAHH!

AAAH!

VOILÀ. PARDON, LE COMPTEUR DOIT ÊTRE À ZÉRO POUR QUE ÇA S'ARRÊTE.
Clic
Clic
AAAH

QUELLE MACHINE FANTASTIQUE ! C'EST VOUS QUI L'AVEZ FABRIQUÉE ?
OUI. J'ADORE BRICOLER.

UN JOUR, JE ME SUIS DIT : "ET SI J'ESSAYAIS DE FAIRE UN ENGIN QUI ME PERMETTRAIT DE DISTRIBUER LE COURRIER PLUS RAPIDEMENT ?"... ET J'AI INVENTÉ ÇA.
VOUS AVEZ TOUS ENTENDU ?

C'EST CETTE MACHINE QUI PERMET À NOTRE FACTRICE D'ÊTRE... EUH... DANS DES SÉQUENCES DE TEMPS DIFFÉRENTES DES NÔTRES...
CES SÉQUENCES SONT PARFOIS PLUS LONGUES, PARFOIS PLUS COURTES...

ET PARFOIS JE ME RETROUVE PILE SUR LE MÊME RYTHME QUE VOUS, MAIS LÀ, ÇA NE CHANGE RIEN. HI HI HI.
VOUS VOYEZ, AUCUN MALÉFICE. TOUT S'EXPLIQUE.

EUH, "TOUT S'EXPLIQUE", FAUT LE DIRE VITE... VOUS AVEZ COMPRIS QUELQUE CHOSE, VOUS ?
NON, MAIS C'EST NORMAL. LA MÉCANIQUE, JE N'Y COMPRENDS JAMAIS RIEN.

BIEN. JE VAIS REPRENDRE MA TOURNÉE...
MERCI À VOUS.

AVANT DE PARTIR, PERMETTEZ-MOI DE VOUS DIRE QUE VOUS FAITES UN BIEN BEAU MÉTIER, MADAME.

QUAND J'ÉTAIS JEUNE, J'ÉTAIS TIMIDE ET C'EST SEULEMENT PAR LETTRE QUE J'AI OSÉ DÉCLARER MON AMOUR À SIMONE... SANS VOTRE COLLÈGUE DE L'ÉPOQUE, JE SERAIS PEUT-ÊTRE ENCORE CÉLIBATAIRE AUJOURD'HUI.
ALORS MERCI, HI HI HI.
?

BONNE JOURNÉE, MADAME.
ET, AU FAIT, BIENVENUE DANS CETTE VILLE !
ET VOILÀ ! COMME D'HABITUDE, IL SUFFISAIT DE DISCUTER.
OUI, TOUT EST BIEN QUI FINIT BIEN !

HÉ HÉ HÉ, TRÈS INTÉRESSANT...

CHLOÉ, TES CHEVEUX SONT COMME... EUH... DE LONGUES HERBES... DOUCES.

ET TES YEUX, CHLOÉ, SONT COMME... DES BILLES QUI ME... EUH...
PFFF... C'EST NUL.

AH, TOUDI !
TU AS VU IMBATTABLE ?!
AH HUM... IL EST À GRANDVILLE AVEC SA MÉMÉ, ELLE VOULAIT ACHETER DES RIDEAUX.

ON A UN GROS SOUCI : QUELQU'UN A VOLÉ LA MACHINE DE LA FACTRICE !

ÇA S'EST PASSÉ CETTE NUIT ET ON N'A AUCUNE PISTE...
HOLÀLÀ, COMMENT ON VA RETROUVER LE VOLEUR ?
HIIII ! AU VOLEUR !

ON M'A VOLÉ MON PORTEFEUILLE !
JE L'AVAIS ENCORE IL Y A UN INSTANT, PENDANT QUE JE DISCUTAIS AVEC UN JEUNE HOMME ENRHUMÉ...
JEAN-PIERRE, LÀ-BAS !

?!
WAOUH, JOLIES TOMATES !
MERCI.
HÉ !

ARRÊTEZ CET HOMME !
CLIC
L... LEQUEL ?!

ARRÊTE-TOI, BANDIT !
EUH... ON POURRAIT PAS ATTENDRE IMBATTABLE? LUI, IL RÈGLERA ÇA EN DEUX SECONDES...

CHLOÉ !
HIII !
HOP !

NE VOUS INQUIÉTEZ PAS, MADEMOISELLE. JE M'EN OCCUPE !
?!

MALÉDICTION !

ARRÊTEZ VOS BÊTISES, M'SIEUR.
N'AVANCEZ PAS OU...
Clic
Clic

?!

BOUF

ATTENTION, IL S'EST MIS EN MODE CLIGNOTANT !

HALTE-LÀ, MON GAILLARD !
Clic
Clic

BOF
BOF

ATTENTION ! MAINTENANT, IL SE DÉDOUBLE !

REVENEZ, VOLEUR DE JEUNE FILLE !
Clic

MAAiiis ARRÊTEZ DE GIGOTER. JE RISQUE DE VOUS FAIRE MAL !
Clic

?!!
RAAAH !

!

HOU, ÇA NE VA PAS ÊTRE SIMPLE CETTE HISTOIRE...

OÙ EST-IL PASSÉ ?
JE VOUS AI ENTENDUS ! VOUS AVEZ RETROUVÉ MON VOLEUR ?!

OUI, MAIS JE NE SAIS PAS COMMENT NOUS ALLONS RÉUSSIR À L'ARRÊTER. IL MAÎTRISE DRÔLEMENT BIEN VOTRE MACHINE !
HUM... IL A DÛ S'ENTRAÎNER.

MAIS IL Y A UNE CHOSE QUE LE VOLEUR IGNORE...

LE ROBINET DE DÉPRESSURISATION DE MA MACHINE DOIT ÊTRE RÉGULIÈREMENT OUVERT, SINON ELLE VA SURCHAUFFER ET CESSER DE FONCTIONNER.

GÉNIAL. IL SUFFIT DONC D'ATTENDRE !
OUI. RIRA BIEN QUI RIRA LE DERNIER.

??!
MERCI POUR L'INFO.

ALORS, LE ROBINET... ÇA DOIT ÊTRE ÇA.
RAAAHH !
PCHTT !

PLUS PERSONNE... ENCORE RATÉ !

IL ÉTAIT EN MODULATION 1 ! BIEN SÛR ! POUR LUI, C'EST NOUS QUI ÉTIONS DÉDOUBLÉS ! IL NOUS A ENTENDUS SANS QU'ON LE VOIE...
EUH... SI VOUS LE DITES.
DONC LÀ, SI ÇA SE TROUVE, IL EST LÀ ET NOUS, ON LE VOIT PAS ?!

QUOI QU'IL EN SOIT, IL FAUT LE RETROUVER RAPIDEMENT ! S'IL RÉUSSIT À NOUS ÉCHAPPER, ON NE SAURA JAMAIS QUI C'ÉTAIT, À CAUSE DE SA CAGOULE.
AAAHH, C'ÉTAIT POUR ÇA, LA CAGOULE ! JE ME DISAIS AUSSI...

VITE ! QUE CHACUN REGARDE AUTOUR DE LUI !
ET SI QUELQU'UN VOIT LE VOLEUR RÉAPPARAÎTRE, IL NOUS APPELLE !

?!
MAiiis ?!

LÀ-BAS !

LA CHANCE NOUS SOURIT : ON DIRAIT QU'IL A ÉTEINT MA MACHINE ! C'EST VRAI QUE COURIR AVEC L'ENGIN EN MARCHE, C'EST SUPER DANGEREUX !
AÏE AÏE AÏE, IL EST DÉJÀ LOIN, ON NE LE RATTRAPERA PAS !

TOUDI, IL FAUT QUE TU L'ARRÊTES AVEC TES POUVOIRS !
HEIN ?! EUH... OK.

44
08

ALORS, EUH... JE NE PEUX PAS L'ATTRAPER, JE RISQUE DE LUI FAIRE MAL... ET JE NE VAIS QUAND MÊME PAS FAIRE ÉCROULER UNE MAISON POUR LUI BLOQUER LA ROUTE... HALÀLÀ, QU'EST-CE QUE JE
VIIITE, ON VA LE PERDRE DE VUE...

OUI BAH. JE RÉFLÉCHIS !
!

WAOUH ! BRAVO TOUDI !

CETTE FOIS, IL PEUT BIEN SE DÉDOUBLER OU CLIGNOTER, ÇA NE CHANGERA RIEN, IL EST COINCÉ !

HA HA HA, ON VA LUI FAIRE PASSER L'ENVIE DE VOLER À CE SALE VOLEUR !
HOLÀ HÉ, M'SIEUR, PAS DE VIOLENCE. ON VA DISCUTER...
HO HO HO, ÇA SE VOIT QU'IL PASSE DU TEMPS AVEC IMBATTABLE, CE GAMIN.

MONSIEUR LE BANDIT, POSEZ À TERRE LA MACHINE DE LA FACTRICE, S'IL VOUS PLAÎT.

BIEN. ET MAINTENANT, VOUS ALLEZ ÔTER CETTE CAGOULE.
HUMF... D'ACCORD. MAIS JE VOUS PRÉVIENS, VOUS ALLEZ ÊTRE SURPRIS...

...
?!
HUM...
EUH... QUI C'EST ?

RAAAAHH ! BEN VOILÀ ! C'EST EXACTEMENT POUR CETTE RAISON QUE J'AI FAIT TOUT ÇA !

ÇA FAIT DES ANNÉES QUE JE VIS DANS CETTE VILLE ET PERSONNE NE FAIT ATTENTION À MOI ! ON NE ME REMARQUE JAMAIS ! VOUS CROYEZ QUE C'EST AGRÉABLE D'ÊTRE IGNORÉ ?
EUH... NON. ÇA NE DOIT PAS ÊTRE FACILE...

MAIS EUH... POURQUOI VOLER LES GENS ? QUEL RAPPORT ? VOUS VOULIEZ LES PUNIR ?

NON, JE VOULAIS DE L'ARGENT ! L'ARGENT, C'EST LE POUVOIR ! LE MONDE EST AINSI FAIT. SI JE DEVIENS RICHE, JE SERAI IMPORTANT ET ON ME REGARDERA ENFIN !

QUOI ?!... MAIS M'SIEUR, JUGER LES GENS EN FONCTION DE LEUR ARGENT, VOUS TROUVEZ ÇA NORMAL, VOUS ?
HEIN ?!... BEN NON.

BAH ALORS, POURQUOI VOULOIR ÊTRE AIMÉ POUR UNE RAISON DÉBILE ?!
ET EN PLUS, EN VOLANT LES GENS QUE VOUS VOUDRIEZ AVOIR COMME AMIS ?! FRANCHEMENT, M'SIEUR...
HI HI HI, AH OUI, IL PASSE VRAIMENT BEAUCOUP DE TEMPS AVEC IMBATTABLE !

NAN, MAIS...
PFFF...
JE SUIS NUL.
PAS ÉTONNANT QUE PERSONNE NE S'INTÉRESSE À MOI...

METTEZ-MOI EN PRISON, JE L'AI BIEN MÉRITÉ...
SNIF...
EUH...
...

HUM... ET S'IL REDONNAIT TOUT CE QU'IL A PRIS ET QU'ON OUBLIAIT TOUTE CETTE HISTOIRE ?
HEIN ?! MAIS IL S'AGIT DE VOLS TOUT DE MÊME !

DE VOLS ? QUELS VOLS ? MOI, EN TOUT CAS, JE NE PORTE PAS PLAINTE.
OUAIS. MOI NON PLUS. (EUH, SI JE RÉCUPÈRE MON ARGENT.)
PAREIL.

Jousselin — coul. : Croix -

CHLOÉ...
UN PETIT PAS POUR TOUDI
Une aventure d'IMBATTABLE

COMMENT LUI DIRE...
ET SI JE LUI OFFRAIS DES FLEURS?...
PFFF... NAN, TROP BANAL...
J'SUIS UN GUERRIER IROQUOIS, J'SUIS UN LOVER AUX ABOIS...

J'DÉCROCH'RAI LA LUNE POUR TOI!
!!!
MAIS LA VOILÀ, L'IDÉE GÉNIALE!

ENCORE UN PEU DE CAMOMILLE, JEAN-PIERRE?
MAIS ?! LA LUNE ! OÙ EST PASSÉE LA LUNE ?!

OH, ELLE DOIT JUSTE ÊTRE CACHÉE PAR UN NUAGE...
J'ESPÈRE... L'AUTRE JOUR, J'AI VU UN DOCUMENTAIRE QUI EXPLIQUAIT QUE, SI LA LUNE DISPARAISSAIT, CE SERAIT TERRIBLE...

D'ABORD, ÇA DÉRÈGLERAIT COMPLÈTEMENT LES MARÉES, ET DONC LES COURANTS MARINS, ET DONC LE CLIMAT... ÇA POURRAIT MÊME DÉCLENCHER DES TSUNAMIS...
J'SUIS UN GUERRIER IROQUOIS

DING DUNG

?

!

Pour Chloé.

C'EST QUI ?
EUH... C'EST POUR MOI, PAPA.

De la part de votre admirateur secret

?!
UN PETIT CAILLOU ?!

EUH ...
CE N'EST PAS TRÈS MARRANT, COMME BLAGUE.

MAIS DURÉE ! C'ÉTAIT PAS UN CAILLOU, C'ÉTAIT LA LUNE !

?

...VERRAIT L'EXTINCTION DE PLEIN D'ESPÈCES... ET CE N'EST PAS TOUT !

LA LUNE STABILISE L'AXE ET LA VITESSE DE ROTATION DE LA TERRE. SANS SON SATELLITE, NOTRE PLANÈTE SE METTRAIT ALORS À OSCILLER ET LE CLIMAT DEVIENDRAIT COMPLÈTEMENT DINGO !
UN SABLÉ ?

LA GLACE ENVAHIRAIT LES TROPIQUES, DES JUNGLES POUSSERAIENT AUX PÔLES... LES JOURNÉES POURRAIENT NE FAIRE QUE 8 HEURES ! AVEC, PERPÉTUELLEMENT, UN VENT STRIDENT DÛ À LA NOUVELLE VITESSE DE ROTATION DE LA TERRE...

EN FAIT, SI LA LUNE DISPARAISSAIT, CE SERAIT LE DÉBUT DE LA FIN DU MONDE !
NAN MAIS TOUT VA BIEN, JEAN-PIERRE. LA LUNE EST TOUJOURS LÀ-HAUT, C'EST SÛR.
¡¡¡¡IK !

HOLÀLÀ ! HOLÀLÀ !

HOLÀLÀ ! HOLÀLÀ !

VITE, TOUT REMETTRE COMME AVANT !

1...
2...

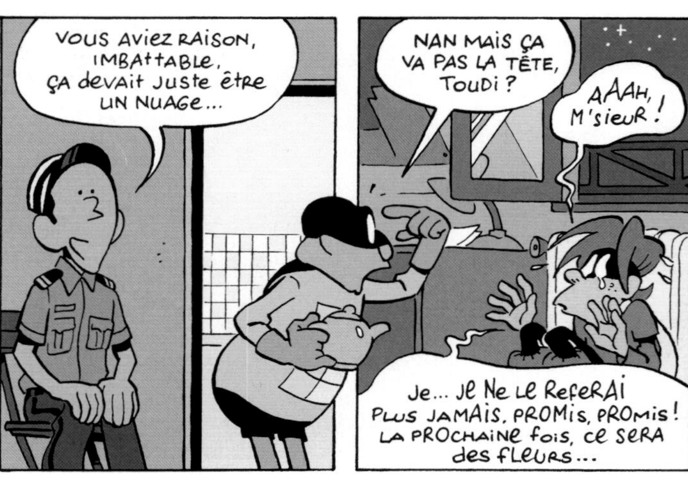

JOUSSELIN — COUL. : CROIX.

Auriez-vous l'amabilité de m'indiquer où habite le scientifique indépendant de votre ville ?
?! Où habite le...?

Aaaah, vous voulez dire "le savant fou" !
Deuxième rue à gauche. La maison avec les grands murs et les barbelés.

"Le scientifique indépendant", hi hi hi...
LE RAYON DIABOLIQUE
Une aventure d'IMBATTABLE

Salutations. Je suis le professeur Atomax.
Qu'est-ce que vous voulez ?

Voyez-vous, cher collègue, dans la ville où je vis, aucun adversaire n'est à la mesure de mon génie. Je suis donc venu ici pour éliminer Imbattable.
HEIN ?!

MAIS ?! IMBATTABLE EST MON ENNEMI !
C'est bien pour cela que je suis venu vous informer que j'allais passer à l'action.

VOUS N'AVEZ PAS LE DROIT ! C'EST MON COMBAT ! CHACUN SES HÉROS !

Allons, mon ami, soyez fair-play. Depuis combien de temps essayez-vous sans succès de vaincre Imbattable ?

Bien.
Alors laissez-moi donc nous débarrasser de lui grâce à mon invention.

Un robot ?! Vous pensez le battre avec un simple robot ?! Ha ha ha ! Vous êtes sacrément naïf !
Ceci n'est pas un banal robot, c'est une machine indestructible programmée pour détruire Imbattable. Ainsi que tout ce qui se mettra en travers de sa route.

Grotesque.
Vous verrez, Imbattable trouvera tout de même un moyen de mettre hors d'état de nuire votre machin.

Pour cela, faudrait-il encore que votre héros parvienne à s'approcher de mon robot...
Regardez ceci.
?

MON ROBOT EST MUNI D'UN RAYON À GRAVITÉ INVERSÉE...
... CAPABLE DE REPOUSSER TOUTE ATTAQUE, QUELLE QU'EN SOIT LA NATURE.
PAN

MILLE MILLIARDS, MAIS ÇA POURRAIT MARCHER ! SI IMBATTABLE NE PEUT PAS S'APPROCHER, TOUS SES SUPER-POUVOIRS SERONT INUTILES...

HUM... OUI, MAIS... HA HA, ÇA NE SUFFIRA JAMAIS, IMBATTABLE VA GAGNER.
J'EN DOUTE FORT.

VOILÀ. RAYON RÉGLÉ SUR PUISSANCE MAXIMALE ET...
CONTACT.
BZT.

IMBATTABLE.

DESTRUCTION IMBATTABLE.

QU'EST-CE QUE ?!
?!

ON DIRAIT... MON RAYON GRAVITATIONNEL !

HOLÀ, QUELQUE CHOSE A CLOCHÉ... JE FERAIS MIEUX DE DÉCONNECTER MON ROBOT AVANT QUE...
?!
DANGER
ALERTE !

PLONK !

REPLONK !

IMBATTABLE.
GOUZI GOUZI.
QU... QU'EST-CE QUE C'EST QUE CE BAZAR ?

DESTRUCTION IMBATTABLE.
C'est UN JAR-din extra-ordi-NAIRE POUPILIM POULOUM...
?!
?!
DANGER
HÉ !
LE GRAND NÉANT(*) !
SI JE TOMBE, JE DISPARAIS À JAMAIS !
POURVU QUE LE TUYAU D'ARROSAGE tienne...

(*) voir tome 2

?!

MAIS ÇA NE S'ARRÊTE JAMAIS ?!

OUF.
BON. REGARDONS CE QUI...
IMBAT-TABLE !
?!

BONK!

DESTRUCTION IMBATTABLE.

?! IMBATTABLE ?!

CET ATOMAX N'EST QU'UN CLOWN PRÊTENTIEUX !
HORS DE QUESTION QU'IL SOIT LE PREMIER QUI VAINCRA IMBATTABLE !

JE VAIS M'OCCUPER DE SON ROB...
?!!

...?!

SAVANT FOU ?! TU M'AS SAUVÉ LA VIE ! MERCI.
HEIN ?!... MAIS NON, JE T'AI JUSTE EMPÊCHÉ DE TOMBER PAR TERRE.

Oooh... une espèce d'onde concentrique capable de traverser les cases.
Incroyable.

Dis, ton robot est vraiment dangereux cette fois ! Tu...
Ce n'est pas mon robot !

Et il n'est pas dangereux, il est complètement nul !
?!
Amène-toi, on va le dézinguer !

BZOUiiii
Malédiction ! Son rayon le protège !
Dès que ce truc cessera, il va voir !

Voilà. Prends ça, hahaha !
?!
BZouiii

Ne restons pas là !
M... mon hyper-laser n'a eu aucun effet sur lui !

Mais aïe-euh !

QU'EST-CE QU'ON PEUT FAIRE ? IL EST INDESTRUCTIBLE !
J'AI UNE IDÉE. MAIS JE VAIS AVOIR BESOIN DE TON AIDE.

ET ÇA RECOMMENCE ! ÇA DEVIENT TRÈS ÉNERVANT !
NOUS ALLONS UTILISER SON RAYON CONTRE LUI...

IL FAUDRAIT QUE TU DÉTOURNES SON ATTENTION LE TEMPS QUE J'AILLE AU BON MOMENT POUR LE FAIRE TIRER.
EUH... JE NE COMPRENDS PAS TOUT, MAIS... OK.

ATTENTION, PRÊT ?...
MAINTENANT !
YAAAA!
?!

PARFAIT, CONTINUE...

...JE TE REJOINS TOUT DE SUITE !
EUH...

?!
YOUHOU, ROBOT !

IMBATTABLE !
ET MAINTENANT, S'ÉLOIGNER ! TRÈS VITE !

JOUSSELIN —
COUL : CROIX -

JOUSSELIN — COUL. : CROIX

HMMM... CE COIN À MÛRES ÉTAIT EXCHEPCHIONNEL ! MERCHI IMBATTABLE !
JE VOUS EN PRIE, JEAN-PIERRE.
L'AUTRE DIMENSION
UNE AVENTURE D'IMBATTABLE

BONJOUR JEUNES GENS.
?!
EUH... BONJOUR.

QUEL LIEU MERVEILLEUX, N'EST-CE PAS ?
VOUS AUSSI, VOUS VENEZ ICI POUR RESSENTIR LEUR PRÉSENCE ?!

?! EUH... LA PRÉSENCE DE QUI ?
MAIS ?! DES DIEUX, BIEN SÛR !

INVISIBLES ET POURTANT TOUT PROCHES DE NOUS...
?!
"LES DIEUX" ?!

GRÂCE À CECI, JE VAIS BIENTÔT POUVOIR RÉALISER MON RÊVE : ENTRER EN COMMUNICATION AVEC LEUR MONDE...

DÉCOUVRIR ENFIN L'UNIVERS DE NOS CRÉATEURS, ÇA VA ÊTRE FANTASTIQUE !
HI HI HI...

QU'EST-CE QU'ON FAIT, IMBATTABLE ? IL A L'AIR UN PEU... EUH... SPÉCIAL.
OH, IL PEUT CROIRE CE QUI LUI FAIT PLAISIR. TANT QU'IL NE VA EMBÊTER PERSONNE AVEC ÇA.

PAR CONTRE, DANS SON ESPÈCE DE SCULPTURE, IL Y A DES PARTIES NON BIODÉGRADABLES... JE VAIS DEVOIR LUI EXPLIQUER DE NE PAS LAISSER ÇA DANS LA FORÊT...
WOOINNG
?

QU'EST-CE QUE C'EST QUE ÇA ?!

AAAAAH !

Hôtel Des Voyageurs
BAR
HOTEL

QU… QUEL EST CET ENDROIT ?
JE NE SAIS PAS. ÇA RESSEMBLE UN PEU À NOTRE MONDE MAIS… EUH… EN BEAUCOUP PLUS COMPLIQUÉ…
ET AVEC DES COULEURS BIZARRES ET DES DÉTAILS PARTOUT…

HÉÉÉ ! QU'EST-CE QUI NOUS ARRIVE ?!
INCROYABLE ! C'EST COMME S'IL Y AVAIT UNE SORTE DE… DEUXIÈME PROFONDEUR !

AAAAAHH ! JE… JE SUIS EMPORTÉ PAR UN COURANT D'AIR !
?!
ON NE PÈSE PLUS RIEN, ICI ! ACCROCHEZ-VOUS, JEAN-PIERRE !

YOUHOU, JEAN-PIERRE ?
IMBATTABLE ? OÙ ÊTES-VOUS ?

IMBATTABLE ?
AU SECOURS !

SAPERLIPOPETTE, ME VOILÀ PERDU DANS CE MONDE BIZARRE...

IMBATTABLE! ENFIN!
JEAN-PIERRE ?! HOU HOU ! PAR ICI !

ESSAYONS DE NOUS REJOINDRE !

!

EUH...
DÉCIDÉMENT, CE MONDE A D'ÉTRANGES EFFETS SUR NOUS...

C'EST À
CAUSE DE CETTE AUTRE TROISIÈME
EUH... JE NE COMPRENDS PAS CE QUE VOUS DITES, IMBATTABLE.
DIMENSION! NOUS SOMMES À LA MERCI
DU SUPPORT SUR LEQUEL NOUS NOUS TROUVONS !

C'EST À CAUSE DE CETTE AUTRE TROISIÈME DIMENSION ! NOUS SOMMES À LA MERCI DU SUPPORT SUR LEQUEL NOUS NOUS TROUVONS !
EUH... JE NE COMPRENDS PAS CE QUE VOUS DITES, IMBATTABLE.

NOUS FERIONS MIEUX DE QUITTER CET UNIVERS AVANT QU'IL NOUS ARRIVE DES BRICOLES...
OH OUI ! OUI ! RENTRONS À LA MAISON !

MAIS COMMENT RETROUVER L'ESPÈCE DE TROU PAR LEQUEL NOUS SOMMES ARRIVÉS ICI ?
HIII !

IL SE DÉPLACE SUPER RAPIDEMENT ! VITE, IL NE FAUT PAS QU'IL NOUS ÉCHAPPE !
MAIS ON EST SUR EUH... LEUR SOL. ON VA SE FAIRE MARCHER DESSUS !

RAAAHH, NON, DU VENT ! C'EST PAS LE MOMENT !

!

SUIVEZ-MOI, JEAN-PIERRE !

DU NERF, JEAN-PIERRE !
HÉ !
OUI, BAH, JE FAIS CE QUE JE PEUX !
VITE ! LE PASSAGE EST EN TRAIN DE SE REFERMER !

MON KÉPI !

WOOÏNNG...
iiiiK!

Pfiou, iL était moins une...

QUEL était cet UNIVERS INCROYABLE ?
JE NE SAIS PAS, MAIS JE SUIS BIEN CONTENT d'être REVENU dANS NOTRE BON VIEUX MONdE !

HÉ ! ET LE MONSIEUR QUI A FABRIQUÉ CE TRUC, OÙ EST-IL PASSÉ ?
ON NE L'A PAS CROISÉ DANS L'AUTRE DIMENSION...
IL AURA SANS doute PRIS PEUR QUAND LE PASSAGE S'EST OUVERT ET SE SERA ENFUI DANS LA FORÊT...

ON LUI RACONTERA TOUT ÇA LORSQU'ON LE RECROISERA...
ET J'EN PROFITERAI POUR LUI EXPLIQUER CE QUI EST BIODÉGRADABLE...
MINCE, J'AI PERDU TOUTES MES MÛRES...

Tout de même, JEAN-PIERRE, QUEL ÉTRANGE VOYAGE...

PARFOIS, JE ME DIS QUE NOUS N'AVONS CONNAISSANCE QUE D'UNE TOUTE PETITE PARTIE DE LA RÉALITÉ...
HUM... HEUREUSEMENT, C'EST UNE CHOUETTE PARTIE.
ON RETOURNE CUEILLIR DES MÛRES ?

JOUSSELIN —

JOUSSELIN – coul. : CROIX

OPÉRATION JEAN-PIERRE
Une aventure ~~d'IMBATTABLE~~ de JEAN-PIERRE
RAAAHH ! MAIS C'EST HYPER DUR À ENLEVER !
PAHAA

BOUIP ! BOUIP !
HÉ !

AH ! BONJOUR, MONSIEUR LE MAIRE.

OH, GEOFFROY ! TU ES RENTRÉ POUR LES VACANCES ? TES ÉTUDES SE PASSENT BIEN ?
HEIN ?! ... OUI, OUI. MON FILS EST MAJOR DE SA PROMOTION.

DITES MOI, JEAN-PIERRE, AVEZ-VOUS REMARQUÉ QU'IL Y A LE MÊME TAG PARTOUT DANS LA VILLE ?
OUI, BIEN SÛR. NOUS AVONS ENREGISTRÉ ÉNORMÉMENT DE PLAINTES CES DERNIERS JOURS.

EH BIEN ALORS ?! VOUS ATTENDEZ QUOI POUR ARRÊTER CE TAGUEUR FOU ? QU'IMBATTABLE FASSE, UNE FOIS DE PLUS, LE BOULOT À VOTRE PLACE ?

EXPLIQUEZ-MOI POURQUOI ON VOUS PAIE ? POUR VOUS PROMENER AVEC UN POT DE FLEURS ?
PFFF... KR. KR.

JE VEUX UNE VILLE PROPRE ET DES ÉLECTEURS CONTENTS ! ALORS VOUS ALLEZ CAPTURER CE MAUDIT DÉLINQUANT AU PLUS VITE, SINON ÇA VA BARDER !

5 ANS.
À MON ÉPOUSE BIEN-AIMÉE

5 ANS PILE AUJOURD'HUI.
...

APPEL ENTRANT IMBATTABLE
HUM... NON, JE... FAUT QUE JE ME DÉBROUILLE TOUT SEUL CETTE FOIS...

JE NE SAIS ABSOLUMENT PAS COMMENT JE VAIS RÉUSSIR, MAIS IL FAUT QUE J'Y PARVIENNE TOUT SEUL.
CLIC

MERCI ET BONNE SOIRÉE.
AU REVOIR, JEAN-PIERRE.

HOLÀLÀ... MAIS COMMENT VAIS-JE BIEN POUVOIR DÉNICHER CE TAGUEUR ? IL PEUT ÊTRE N'IMPORTE OÙ...
?!

?

BROLOM
BOLOM

HÉ !

GENDARMERIE NATIONALE ! ARRÊTEZ-VOUS, S'IL VOUS PLAÎT !

RAAAH !

PFFF... PFF... MINCE, IL EST TROP RAPIDE ! IL VA M'ÉCHAPPER !

HÉ, HÉ ! BYE-BYE, PAPY !

Geoffroy, c'est toi ?!

Qu'est-ce que tu fiches dehors en pleine nuit ?
Je... je me promenais. C'est interdit maintenant ?

Dans ce cas, pourquoi t'es-tu enfui lorsq...
?
ZIIIIIP
?!

BILING

PCHTTT

Ça va, Geoffroy ?

Donc tu te promenais avec une bombe de peinture orange, quel hasard...
Oui, bon, ça va, c'est moi le tagueur !

RAAAHH ! C'est hyper dur à enlever !
Pourquoi écrire "PANDA" partout ? Quel intérêt ?

Mais pour alerter ! Les pandas sont en voie d'extinction ! Faut les protéger !
?! Avec des tags ?...

Je vois même pas pourquoi j'essaie de vous expliquer, vous êtes un larbin du système !

Vous en avez rien à faire des pandas, vous vous en fichez complètement que la planète soit un peu plus moche chaque jour !

Hmm... voilà l'adresse de la mère de Tou... de Fabrice. Demain, tu iras la voir de ma part, elle est très active dans la défense de l'environnement.

Elle saura te dire quoi faire concrètement pour aider les pandas...
Et moi, je garde ton matériel.

Et maintenant, vous allez m'emmener chez mon père et savourer votre vengeance, hein ?

File.

JOUSSELIN — COUL. : CROIX

JOUSSELIN —
COUL. : CROIX

ROAR

CHKRiiii

QUELLE EST LA SITUATION ?
Le MANOIR est CERNÉ, CHEF ! IMPOSSIBLE POUR Le VOLEUR de S'ÉCHAPPER .
POLICE

HA HA HA ! CETTE FOIS, ON TE TIENT, BANDIT !
IMBATTABLE CONTRE INVINCIBLE

TIENS, des FLICS PARTOUT.
J'AI SANS doute déCLENCHÉ UNE ALARME CACHÉE QUELQUE PART.

PFFF... TOUT ÇA est tROP FACILE .

5 minutes plus tard, à la gare...

PUB
Pub pubpub

SSLURP
Bidouboudup ♪
Le flash info.
UN NOUVEAU VOL de timbres de collection A eu lieu hier soir dans la banlieue de Grandville.

Malgré un déploiement de forces sans précédent, le cambrioleur a réussi une fois de plus à s'échapper.

Qui arrêtera cet audacieux criminel qu'on surnomme déjà "invincible" ? Qui stoppera ce voleur téméraire qui fait trembler tous les philatélistes du pays ?
Humpf... Pour eux, le bandit est un homme, forcément !

Une femme, c'est gentil, c'est doux, ça sent bon, ça ne peut pas être un malfrat audacieux et téméraire !

Pfff... Ce monde rempli d'abrutis est épuisant.

IM-POS-SI-BLE !
C'était impossible de s'enfuir, le manoir était cerné...

Qu'est-ce qui a bien pu se passer ? Le voleur ne s'est tout de même pas téléporté !
...

Bon sang ! Et si c'était ça justement ?!...
Si ce bandit possédait des super-pouvoirs, ça expliquerait tout !

Et dans ce cas, une seule personne au monde est capable de m'aider !

Et maintenant, le tirage du loto en direct...
Pfff... Bon, puisque j'entends ça, autant en profiter pour renflouer mon compte en banque...

Le numéro 5, le 2, le 18, le numéro 15, le 23 et le numéro complémentaire, le 14.

Alors, 5... euh... 2, 18, 15, 23, 14.
Ok. Allons-y.

Une heure plus tôt.
SSLURP
Bidouboudup ♪
Le flash info.
Un nouveau vol de timbres de collection a eu lieu hier soir dans la banlieue de Grandville.

Un billet de loto pour le tirage de tout à l'heure, s'il vous plaît.
Malgré un déploiement de forces sans précédent, le cambrioleur a réussi une

AH, J'AIME CES JOURNÉES OÙ IL NE SE PASSE RIEN.
OUI, MOI AUSSI.

ROAAAR

CHKRIII

TIENS, BONJOUR COMMANDANT DACIER.
AVEZ-VOUS ENTENDU PARLER DU VOLEUR DE TIMBRES?!

DU VOLEUR DE...?
PARDON ?
À GRANDVILLE SÉVIT UN BANDIT INSAISISSABLE QUI VOLE DES TIMBRES DE COLLECTION.

IL DISPARAIT DES LIEUX DU CRIME DE MANIÈRE INVRAISEMBLABLE. JE PENSE QU'IL POSSÈDE DES SUPER-POUVOIRS...
EXCUSEZ-MOI...

JE... J'AI PLEIN DE TIMBRES, MOI, ILS RISQUENT QUELQUE CHOSE ?

AH ? J'IGNORAIS QUE VOUS COLLECTIONNIEZ LES TIMBRES.
SEULEMENT LES TIMBRES REPRÉSENTANT DE LA VIANDE. C'EST UNE COLLECTION FAMILIALE QU'ON SE TRANSMET DE PÈRE EN FILS, AVEC LA BOUCHERIE.

UNE COLLECTION ? MAIS C'EST GÉNIAL !
ON VA POUVOIR MONTER UN GUET-APENS !

ALORS... IL FAUDRAIT QUE... HUM... ET QUE... OUI ! ÇA POURRAIT MARCHER ! HA HA !

NE BOUGEZ PAS ! J'APPELLE UN AMI JOURNALISTE !

EH BÉ. ILS SONT ÉNERVÉS À GRANDVILLE.
EUH... J'AI PAS BIEN COMPRIS... MES TIMBRES, ILS RISQUENT QUELQUE CHOSE OU PAS ?

UNE EXPOSITION QUI VA RÉJOUIR LES PHILATÉLISTE

Lieu insolite pour une exposition la boucherie de la petite ville de accueille actuellement une série

« Une collection de timbres qui retrace un siècle de charcuterie »

Je vais m'occuper de cette cambrioleuse et je reviens.
Bon bah, j'avais raison, c'est moche.

?!

Bonsoir madame la voleuse.
Mais qui...?! C... comment savez-vous que...?!

Pourquoi vous faites ça? Vous aimeriez, vous, que quelqu'un vole vos timbres? Expliquez-moi.
Vous ne pouvez pas comprendre. Personne ne peut comprendre!

Bah, si vous n'essayez pas d'expliquer, c'est sûr que
Je m'ennuie! Je m'ennuie terriblement! Alors je m'occupe en réunissant la collection de timbres la plus incroyable du monde! Voilà!

J'aime bien les timbres...
Pfff... Mais même ça, c'est devenu horriblement ennuyeux. Tous ces vols sont bien trop faciles à réussir.

"Trop faciles"? Heu... je viens de vous arrêter, là.
Ouais, c'est ça.
Dix minutes plus tôt.

Bien. Maintenant, partons vite avant que ce type déguisé ne me tombe dessus.

De retour à Grandville.

?! Oh, mais...
Tiens, tonton, la bouée que tu m'as demandée.

C'est moi dans le passé, mais je ne me souviens pas d'avoir vécu ça!
Oooh, incroyable! Elle a un super-pouvoir fantastique!

Bah? Tu ne veux plus ma grosse bouée, tonton?
Bizarre, j'étais pourtant sûre que personne ne m'avait vue cambrioler la boucherie.

BON. VOUS ALLEZ ME RENDRE LES TIMBRES ET ENSUITE, ON DISCUTERA.
AAAH!

C... COM-MENT ?!
DU CALME ! D'ABORD ME DÉBARRASSER DE CE GARS, JE RÉFLÉCHIRAI APRÈS.

?!
Une heure plus tard, à Katmandou.
?!

MAINTENANT QUE NOUS SOMMES À L'AUTRE BOUT DU MONDE...

... JE VOUS LAISSE VOUS DÉBROUILLER POUR RENTRER. HA HA HA !
Une heure plus tard, à Grandville.

C'EST DRÔLEMENT JOLI ICI, MAIS CE N'EST PAS LE MOMENT DE FAIRE DU TOURISME.

C'EST INCOMPRÉHENSIBLE ! COMMENT A-T-IL PU DÉCOUVRIR MON REPAIRE ?
QUOI QU'IL EN SOIT, JE DOIS CHANGER DE PLANQUE RAPIDEMENT.

HEUREUSEMENT, AVANT QU'IL RÉUSSISSE À REVENIR DU NÉPAL, J'AI UN PEU DE TEMPS DEVANT MOI.

BON. FAUT ARRÊTER LES BÊTISES MAINTENANT, MADAME.
AAAAH!

D'OÙ...?...V... VOUS AVEZ DES SUPER-POUVOIRS ?!
OUI, COMME VOUS... ENFIN PAS LES MÊMES.

M... MAIS ?! HA HA HA ! C'EST FANTASTIQUE ! JE PENSAIS ÊTRE LA SEULE AU MONDE À AVOIR UN POUVOIR !
?

ON PEUT ALLER OÙ ON LE SOUHAITE, ON PEUT PRENDRE TOUT CE QU'ON VEUT, RECOMMENCER TOUT CE QU'ON A RATÉ...

FINIES LES INCERTITUDES, FINI LE HASARD... ON PEUT TOUT FAIRE, TOUT CONTRÔLER. **ABSOLUMENT TOUT !**

MAIS QUAND TOUT EST POSSIBLE, TOUT DEVIENT ENNUYEUX. PLUS RIEN N'A VRAIMENT DE SENS.

ET CELA, LES AUTRES, AVEC LEURS VIES BANALES, SONT INCAPABLES DE LE COMPRENDRE ... ALORS ON RESTE SEUL... SANS PERSONNE À QUI PARLER... **MAIS GRÂCE À VOUS, ÇA VA CHANGER !**

HAN ! J'ALLAIS OUBLIER LA RAISON POUR LAQUELLE CE COSTUMÉ EST LÀ... **PERSONNE NE M'ARRÊTERA ! JAMAIS !**

HUM... ET SI J'ESSAYAIS DE... OUI, ÇA POURRAIT MARCHER ! CE SERAIT L'AMIE PARFAITE.

JOUSSELIN — COUL. : CROIX.